NOCTURNE
de
CHOPIN
Op. 27 _ N° 2

à son ami Alfred Turban

Transcrit par P. SARASATE

DURAND Editions Musicales

Paris, France

D. & F. 11439

2

4

Frédéric CHOPIN

NOCTURNE

en ré majeur, opus 27 nº 2

pour violon & piano

transcription de Pablo Sarasate

violon

DURAND

NOCTURNE
de
CHOPIN
Op. 27 _ Nº 2

à son ami Alfred Turban

Transcrit par **P. SARASATE**

VIOLON

DURAND Editions Musicales
Paris, France

D. & F. 11439

6